유병재 삼행시집

말
장
난

arte

말 이 시집이지,

장 난도 아니고

난 그런 거 못 써요.

Prologue

작가의 말

작 은 재주로 시작한 일이었습니다. 앞글자를 맞춰 적당히 말을 완성하면 박수를 받곤 했습니다. 평생을 존재하지도 않는 스스로의 잠재력에 기대를 걸고 살아왔기에 이번에도 "내가 사실은 천재?"라는 생각으로 두 번째 책을 쓰고 있습니다.

가 진 것에 비해 많은 것을 누렸다는 증거로 이번에도 부끄러운 책을 내놓습니다.
시집이라는 말이 그야말로 창피해서 달고 싶지 않았지만 그렇다고 해서 삼행시가 시가 아닌 건 또 아니니까.
왼손 손바닥을 보면 손금 모양에 "시"라고 적혀 있어 인간은 누구나 시를 쓰며 살아가야 하는 존재라는 누군가의 구라가 떠오릅니다.

의 외로 글은 쭉쭉 써졌습니다.
의도치 않은 슬럼프로
의욕이 꺾일 때나
의지박약이 됐던 순간도 있었고, 그로 인해
의미불명의 문장들도 꽤 남았지만 결국 책이 완성된 것은
의심의 여지 없이,
선인세 때문입니다. 선인세라는 것은 참으로 사람을 간사하게 만듭니다. 마감이 없으면 똥도 못 쌀 인간에게 일정을 지키게 해주었습니다. 이 자리를 빌려 북이십일에 감사의 말을 전합니다.

말 이 너무 길어지기 전에 '작가의 말'을 끝내야 하는데 사실 끝맺음을 생각하지 않은 채 글을 쓰고 있습니다. 보통 즉흥으로 삼행시를 하다가 다음 글자가 떠오르지 않으면 지금처럼 이런 식으로 의미 없는 말들을 막 늘어놓곤 합니다. 저도 무슨 말인지 모르고 나중에 기억도 못할 말을 그냥 호흡하듯이 뇌를 거치지 않고 입으로만, 언어라기보다는 차라리 날숨에 가까울 그런 말들을 막 내뱉곤 하는데 지금 제가 더 조급한 이유는 보통 이런 작가의 말 마무리엔 '사랑하는 레이첼에게'라든지 '존경하는 아버지에게'라든지 독자는 모를 작가 개인의 소중한 사람에게 뭐 그런 말들을 하는데 전 당장 그런 사람이 떠

오르지도 않고, 그게 아니라면 '지구를 위해'라든지 '세계평화를 위해'라든지 뭔가 지구촌 단위의 멋있는 말을 하는데 난 또 세계지리도 안 했고 한국지리도 3등급인가 맞았나? 선상지나 범람천 이런 게 되게 어려웠었으니까 여튼 무슨 말이든 하긴 해야 하는데 그게 또 의미 없는 말이면 안 되고 이런 기회가 자주 오는 것도 아니거니와 평소 내 생각도 담겨 있어야 되니까.

사람이 사람을 죽이지 않았으면 좋겠습니다.

목 적은 일단

차 례대로 읽어주시는 건데……

순한맛

중간맛

매운맛

순한맛

기 를 쓰고 잊으려,

억 지로 잊지 않으려.

새 로 사귄 고민들

벽 돌 되어 머리맡에.

하 루 종일 혼자라 생각했는데

늘 함께였어.

응, 너

원하는 대로 해.

강 한 척은 나만 할게.

아 프면 아프다 하고

지 금처럼 곁에만 있어줘.

고 생으로 꽉 찬 하루

양 아치 틈바구니 속에서도
집에 갈 땐 웃는 거

이 거 다 네 덕이야.

반 려된 내 인생마저

려 지 없이 안아주는 너.

마 중 나온 엄마의 존재를

음 미하는 것.

고 생하는 거 내가 왜 모르겠어. 다 겪어봤는데. 근데 지금 젊을 때 쪼끔 힘든 거는 나중에 돈 주고도 못 산다? 너 그렇게 값비싼 젊음을 갖고 그냥 썩히고만 있을 거야?

구 라 좀 보태가지고 나 때는 일주일에 다섯 시간 자고 일하면서도 그저 나를 받아주는 이곳에 감사했다는 거지. 너 지금 하는 노력? 그거 아무것도 아냐. 쓸모 있는 인간이 되라 이 말이야. 도라이바가 와서 딱 박힐 나사 같은 인간!

마 지막으로 한마디만 더 하자면, 너 고생하는 건 내가 다 알지. 근데 너 지금 젊을 때……

우 리 아무리 도와주고 싶어도

울 지 말라고는 하지 말자.

요 리조리

즈 려밟히며

음 지에서 살고 있어.

큰 돈을 벌게 된 지 몇 년이 지났지만 아직도 부모님 생신에 음식이며 선물로 고심하는 건 내가 아니라 큰누나다. 늦은 밤 취한 엄마 아빠를 모시러 가던 것도 남자인 내가 아니라 수험생인 누나였다.

누 군가에게 찔린 상처로 며칠 밤을 뜬눈으로 지새워도 내가 전화를 거는 건 정신과 의사가 아니라 누나였다.

나 중에 내가 죽어서 신에게 내 삶은 왜 이리 불행하기만 했느냐 따졌을 때, 신이 나에게 조용히 보여줄 얼굴도 큰누나다.

작 가의 꿈을 먼저 꿨던 건 작은누나였다. 글도 나보다 훨씬 잘 썼고, 끼가 많은 것도 나보단 누나 쪽이었다. 숙제처럼 나갔던 장기자랑에서 땅만 보고 쭈뼛대던 나와는 달리 누나는 집에서도 거울을 보면서 미스코리아 당선 소감을 연습하고 이정현 테크노 춤을 따라 하곤 했다.

은 근히 받아왔을 둘째로서의 고충을 털어놓은 적이 없다. 첫째는 첫째의 밥을, 막내는 막내의 밥을 덜어가고 나면

누 룽지로 밥공기를 채우던 건 작은누나였다. 지금은 네 아이의 엄마. 엄마에게 비교적 값싼 물건이 필요할 때마다 가장 먼저 서두르는 것 역시 작은누나다.

나 한테 빌려 간 일억 오천 받을 생각이 없다.

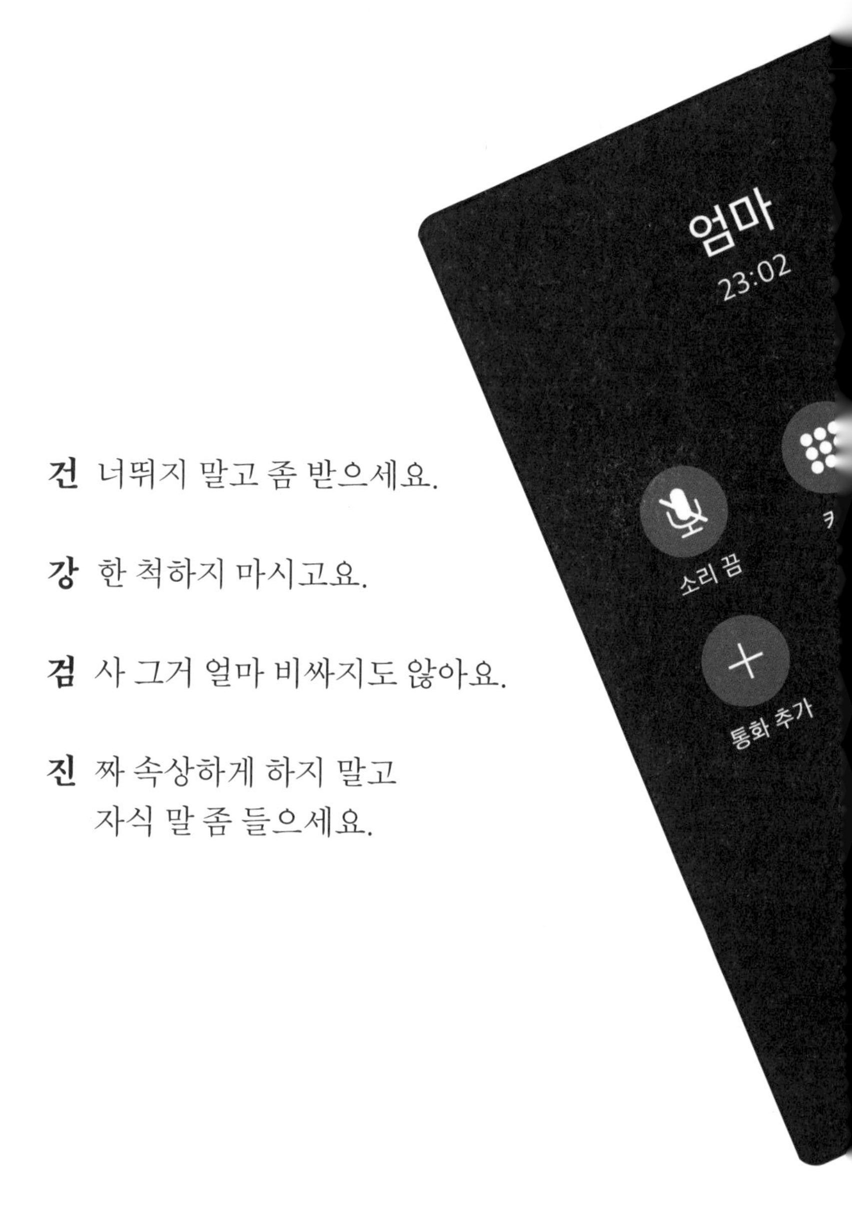

건 너뛰지 말고 좀 받으세요.

강 한 척하지 마시고요.

검 사 그거 얼마 비싸지도 않아요.

진 짜 속상하게 하지 말고
자식 말 좀 들으세요.

한 맺힐라,

숨 기지 마.

민 망을 넘어

낯 설어.

희 미하게 보이는

망 해도 괜찮을 거라는 기대.

상 처받기 쉬우니까

담 담히 듣기만 해주세요.

거울 속 내가

짓는 미소.

거 봐,

울 거면서.

수 도 없이 울고요. 나 사람들 모르게 비겁한 짓도 많이 했어요, 엄마. 시염 기르구 으른 된 것처럼 댕겨두 나 기냥 막내아들 병잰데…… 사람들 날선 말이 보풀처럼 묻어가지구 좀체 떨어지질 않아요. 나 잘 알지두 못하믄서…… 여기선 아무도 내 그릇에 뭐 안 덜어줘요.

제 분이 아들 서울 올라가서 잘됐다구 아줌마들이 그러는데 나 아직도 잘난 사람들 앞에 가면 발꼬락 잔뜩 오므리고 손톱 물어뜯어요. 그럴 때마다 엄마가 뜯지 말라고 손톱에 발라줬던 마이신 맛이 나요. 엄마 나 그냥 다 때려치우고 광천 가서 살고 싶어요.

비 오면 생각나요. 엄마가 해주던 거.

서 서 숨만 쉬어도

점 점 기분 좋아져, 믿어봐.

덕 분에 이렇게 행복한데

질 릴 리가 있나요.

기 분 좋게

부 자 되는 방법.

↳ 저도 천만원 같은 만원 보냈어요.

↳ 작은 돈이지만 저도 기부했어요 알려주셔서 감사합니다.

↳ 병재님 매달 기부하시는 모습이 너무 멋있어요. 기부는 하는 자체가 중요하다고 생각하는데 병재님에게 기부금액이 어느 정도의 큰 액수인지는 몰라도 보통 사람들이 보기에 절대 적지 않은 금액을 매달 기부하시는 모습 정말 멋있습니다. 저도 몇년 뒤에 꼭 그런 사람이 되고 싶네요!

↳ 저는 중학생 1학년인데요. 어른 돼서 꼭 유병재님처럼 기부할게요. 그리고 지금은 병재님이 나온 프로그램 많이 봐서 돈 많이 버시도록 할게요. 그럼 감사합니다. 안녕히 계세요.

↳ 형님덕에 시작합니다! 굿 인플루언서!

↳ 저도 작지만 동참했습니다~

↳ 첫 월급으로 큰 돈은 아니지만 의미있는 도움 같이 해보려해요. 어떻게 웃기면서 우습지 않고 세상을 더 의미있게 사시는지 모르겠습니다. 할 말이 많진 않아서. 길가다 마주치면 좋겠습니다. 누렁니 만세. 규선이 형이 더 좋아요 사실.♥

↳ 유병재님 피드 보고 저도 기부했어요. 20살에 인생 첫 기부라는 게 부끄럽긴 하지만ㅋㅋㅋㅋ 당신은 선한 유행을 이끄는 연예인!

비록 몸은 떨어져 있지만

대화가 불편하긴 하지만

면 년 후면 우리는
오늘을 추억할 수 있을 거예요.

고 민 많이 하고 말하는 거야, 진짜야.

백 번도 넘게 생각해봤는데……
나 너 좋아하는 것 같아.

연 필 깎을 때 집중하는 표정이 좋구,

애 기처럼 웃을 때 눈에 주름 살짝
찡그려지는 거 진짜 매력 있어.

중 지보다 검지가 살짝 더 긴 게 너무 귀여워.

백 화점 간 김에 생각나서 샀어.

일 어날 때마다 보고 내 생각해줘.

이 벤트 같은 거 안 하면 어때.

백 번 천 번 매일 사랑한다고 하는데.

일 어나면 연락 줘.

사 람이 말을 하면 대답을 좀 해.

백 수가 뭐가 그렇게 바쁘다고 답장을 안 해?

일 부러 화나게 하려고 작정했어?

동 창들 만나러 간다고 그랬잖아.

거 짓말까지 해?

권 리가 없다는 게 무슨 말이야? 내가 애인한테 이런 말도 못해? 누가 지금 하루 종일 보고하라는 거야? 자면 잔다, 밖이면 밖이다 전화만 받으라는 거잖아.

태 도가 왜 그래? 뭘 잘했다고 실실 웃어? 연필 좀 깎지 마!! 정신 사나워!!

기 왕 말 나온 김에 하는 말인데 너가 쓴 글 다 별로야.

결 국 이런 식이네.

혼 자 일정 다 정리할 거면
왜 결혼하자고 한 거야?

준 비하는 사람은 생각도 안 해?

비 교해보고 업체 정해야 된다고
내가 그랬잖아!

상 처받았으면 미안해.
우리 부모님이 원래 말이 좀 세셔서……

견 디기 힘든 시간이었다는 거 알아.
절대 너 무시하는 건 아니셔.

례 정일 조금만 미뤄보자.

이 렇게 될 줄 미리 알았어도

별 수 없었을 거야.

혼 자서는 못 할 줄 알았는데

술 술 넘어가네.

자 유라곤

취 하는 것뿐.

치 졸한 것들에 시달리다가

맥 추는 유일한 시간.

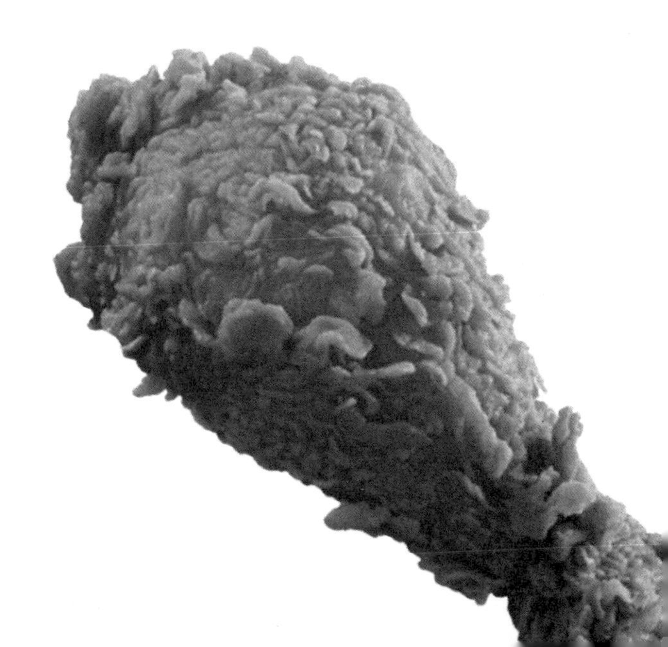

소 박한 꿈 하나,

심 한 말 듣지 않기.

하 고 싶었던 말,

지 금부터 시작이다.

만 반의 준비를 해.

모 처럼

기 분 좋았는데

모 세혈관

기 어코 찾아내는구나

모두가
기본적으로 널 싫어해

모조리 씹어 먹어줄게
기를 쓰고 피해봐라

Moment of Killing

모가지 씻고
기다려라

모퉁이에 붙어
기척을 숨겨라

모 여서

기 도해라

모 진운명 탓하며

기 적을 바래라

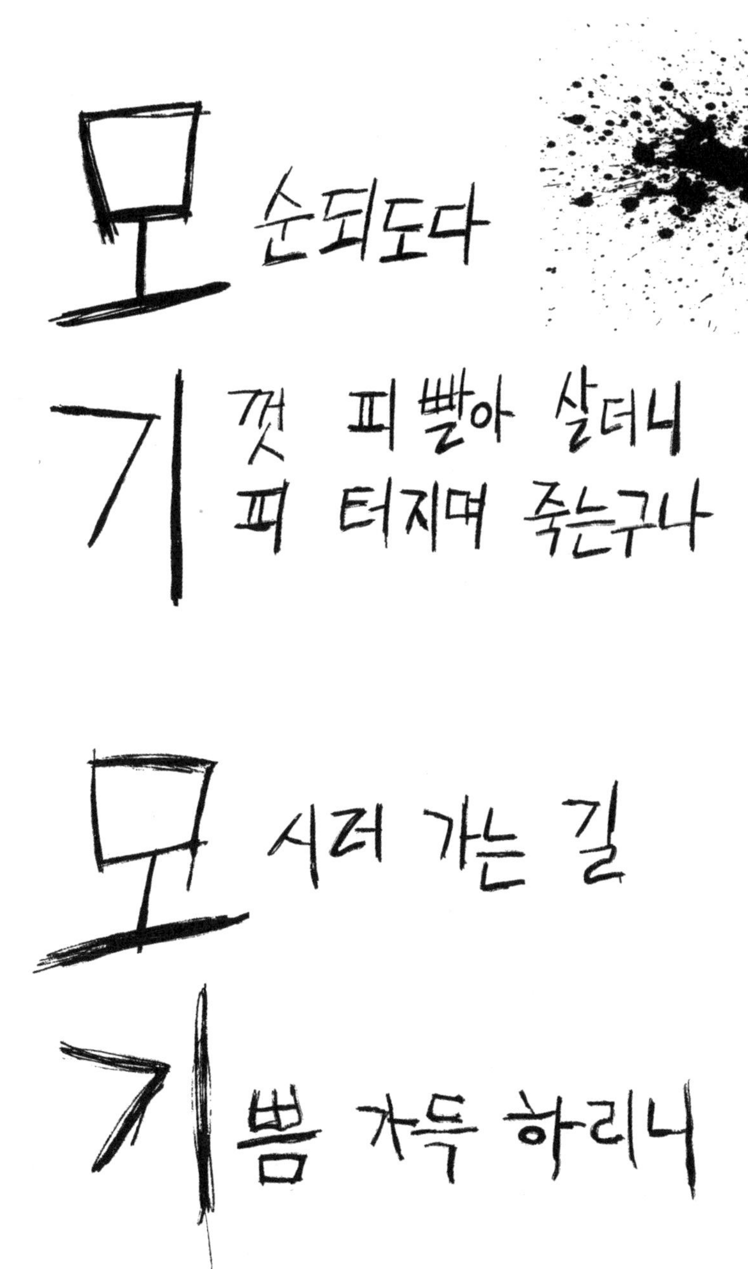
모순되도다
기껏 피 빨아 살더니
피 터지며 죽는구나
모시러 가는 길
기쁨 가득 하리니

상 처 주지 말기.

담 백하게 말하기.

원 래 사람에겐 그래야 하니까.

소 리도 없이

방 금도 우리를 도와주신 분들께

관 심이 필요합니다.

택 떼기 전 한 번쯤

배 꼽 인사, “감사합니다.”

2020.08.08.22:15:55 옥천HUB

2020.08.08.19:40:20 옥천HUB

2020.08.08.19:25:49 토평콘솔HUB

2020.08.08.18:38:12 토평콘솔HUB

2020.08.08.15:24:09 토평콘솔HUB

운 전 조심히 와주세요.

송 골송골 맺힌 땀

장 난 아니게 덥죠, 밖에.

번 번이 감사합니다.

호 수가 높아서 죄송해요.
시원한 음료 좀 드세요.

:10:30 대전HUB 간선하차

:07:55 대전HUB 간선하차

:07:50 대전HUB 간선하차

:26:12 곤지암HUB 간선하차

어 리숙했어도

제 법 괜찮았어.

오 지도 않은 내일을

늘 걱정한다.

내 거지만

일 면식 없음.

행 동 먼저 한다면

복 잡하지 않음.

고 생하는 거 왜 모르겠어.

마 음 가득 담아 항상 말하고 싶은데

워 낙 이런 말 잘 못하잖아.

미 루고 미루다

안 돼 하고 삼켰던 말

해 보면 별것도 아닌데.

사 족 달지 말 것.

과 하다 생각 말 것.

반 만 해도

성 공.

걱 정해서 뭐하겠어.

정 답도 없는데.

실 망하지 마.

수 십억이 하는걸.

불

만이야

확실한 앞날은 벗어나는 게

가능해

과 얼마전만 해도 이정도 아니었는데

가피하게 어른이 되었어

평등한 삶은 어떻게 살아도

행할것같아

리한 경쟁도 지긋지긋하고 나도 내가

쌍해서

평만 달고 살지만

안— 하지, 난 아무것도

중간맛

상 상도 못한 존재에

처 맞아 생긴 흔적.

장 난이었구나.

난 아닌데.

농 도 조절 부탁드립니다.

담 아두는 편이니까요.

다 시 처음부터 하자.

이 것까지만 먹고 하자.

어 설프게 하느니 내일부터 하자.

트 레이너 구해서 빡세게 제대로 하자.

눈 으로만

바 라봐도

디 룩디룩.

근 데 말야,

손 실 갈 정도로

실 체가 있어?

고 거 좀 먹었다고

기 골이 장대해지다니.

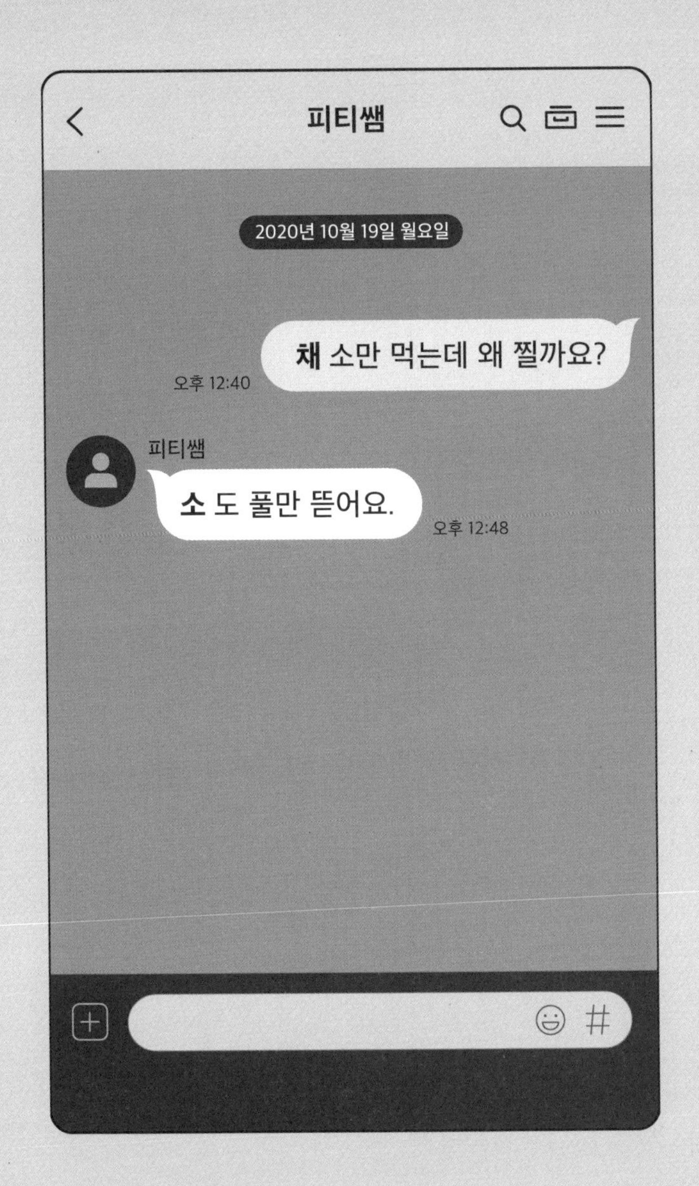
피티쌤
2020년 10월 19일 월요일
채 소만 먹는데 왜 찔까요?
오후 12:40
피티쌤
소 도 풀만 뜯어요.
오후 12:48

치 킨 고거 좀 먹었다고

팅 팅 붓겠냐?

데 쳐 먹으면 살 안 쪄.

이 짓 어제도 한 것 같은데.

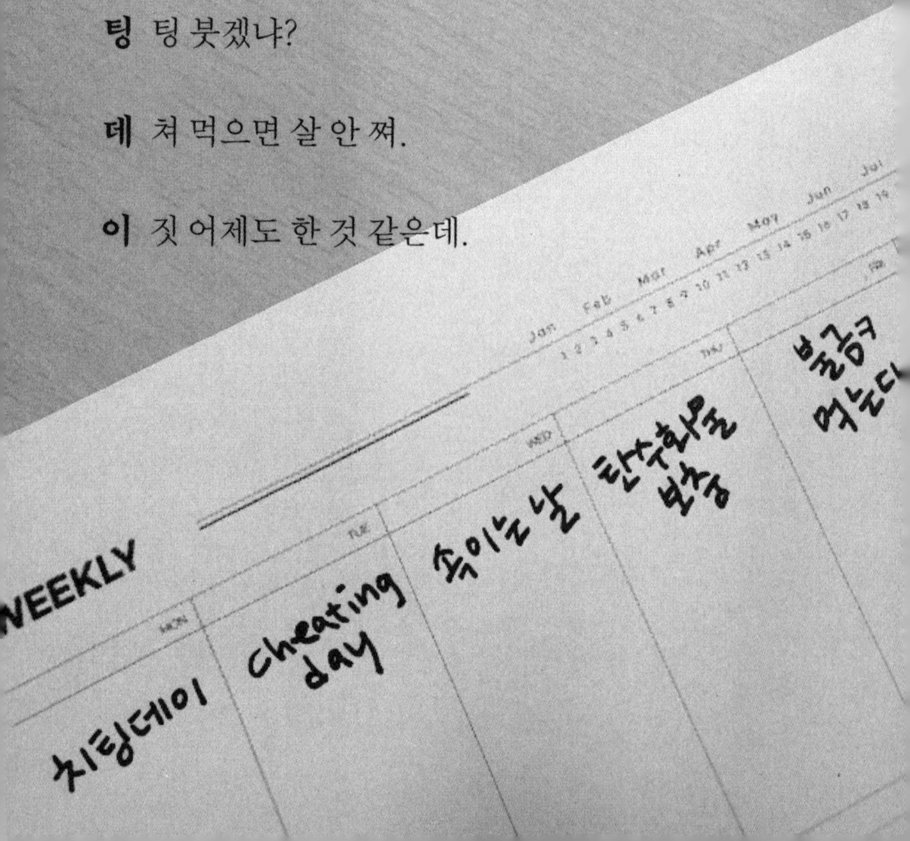

아 직 남았는데 하나만 더 먹을까.

쉬 면 버릴 텐데……

움 직이면 되잖아. 다 먹고.

탄 탄한 몸매를 원한다면서 또 먹어?

수 려한 외모를 갖고 싶다면서 또 먹어?

화 려한 비주얼이 꿈인데 또 먹어?

물 만 먹어도 살찐다면서 또 먹어?

지 금 또 먹어?

방 금 먹었는데?

치 킨 먹을 때마다

부 위별 남은 수량 체크하는 나란 새끼.

쾌 락과 위장 사이

변 증법적 결론.

인 사동엔 왜 가냐고?

스 타벅스를 왜 가냐고?

타 이거슈가는 왜 먹냐고?

dbqudwo333 요즘 인싸들 잠금

병재님 인싸가 인스타싸이코들인가요?

○○○ 님이 회원님에게 메시지를
보내고 싶어 합니다

인 싸 되려는

맥 락 없는 관계.

최 고로 사랑한다는 것부터

애 초에 실망이 예정됨.

팔로우하기

무명

@anonymous0000

0 팔로잉 0 팔로워

이 계정의 트윗은 비공개입니다.

승인된 팔로워만 무명 님의 트윗과 전체 프로필을 볼 수 있습니다. '팔로워' 버튼을 탭해 팔로우 요청을 보내세요.

부 끄러우니까

계 란 프로필 달고

정 탐하는 거지.

예 술 한답시고

민 폐 끼친 거 죄송해요.

표 시 나게 할 거면

절 대 하지 마.

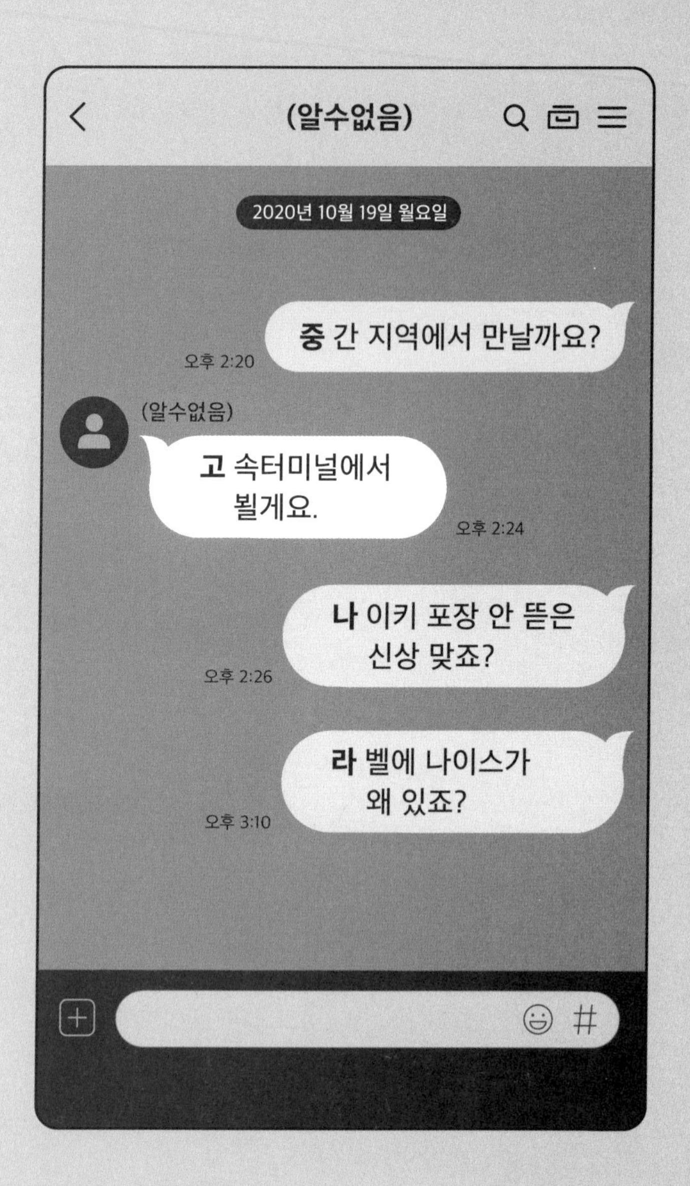
(알수없음)
2020년 10월 19일 월요일
중 간 지역에서 만날까요?
오후 2:20
(알수없음)
고 속터미널에서
뵐게요.
오후 2:24
나 이키 포장 안 뜯은
신상 맞죠?
오후 2:26
라 벨에 나이스가
왜 있죠?
오후 3:10

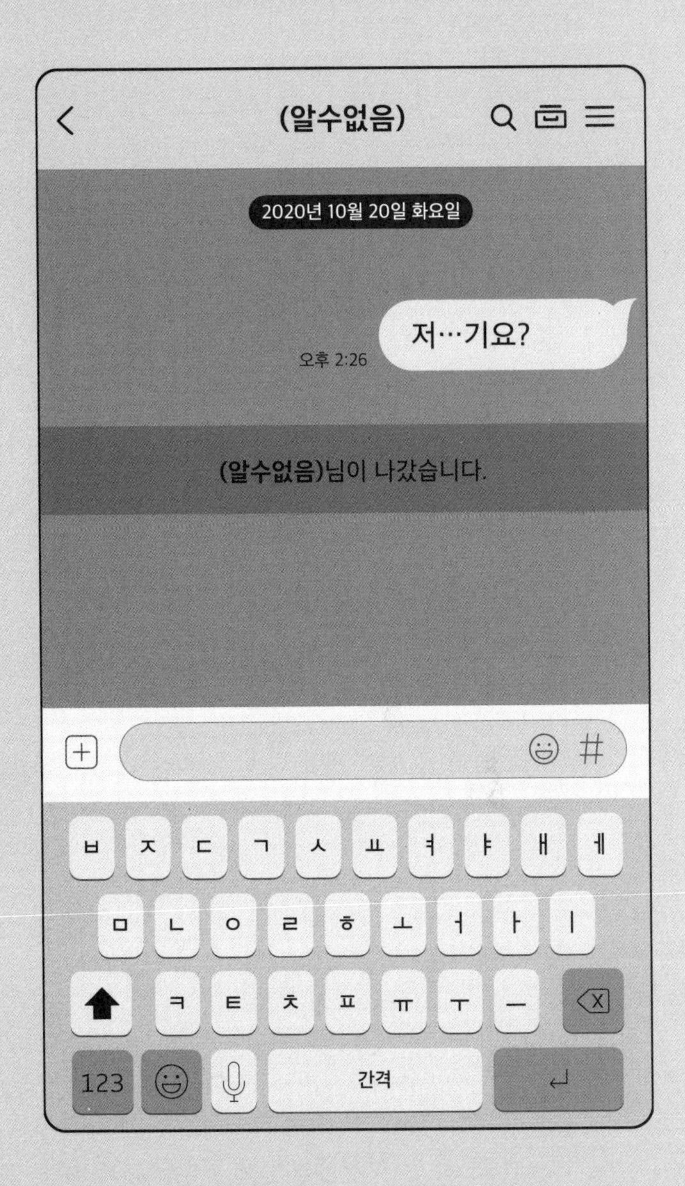
(알수없음)
2020년 10월 20일 화요일
저…기요?
오후 2:26
(알수없음)님이 나갔습니다.
간격
123

세 금 내다 보니까,

월 세 내다 보니까.

비 교하지 마.

혼 자가 좋아, 난.

역 정만 내지 마시고

세 입자 생각도 해주세요.

권 리금을 어떻게 당장 올려드려요.

금 방 따라잡을 줄 알았는데

수 평이되 평등하지 않은 너와 나.

저 만치 멀리 가네.

지 폐들이

갑 자기 사라지는 곳.

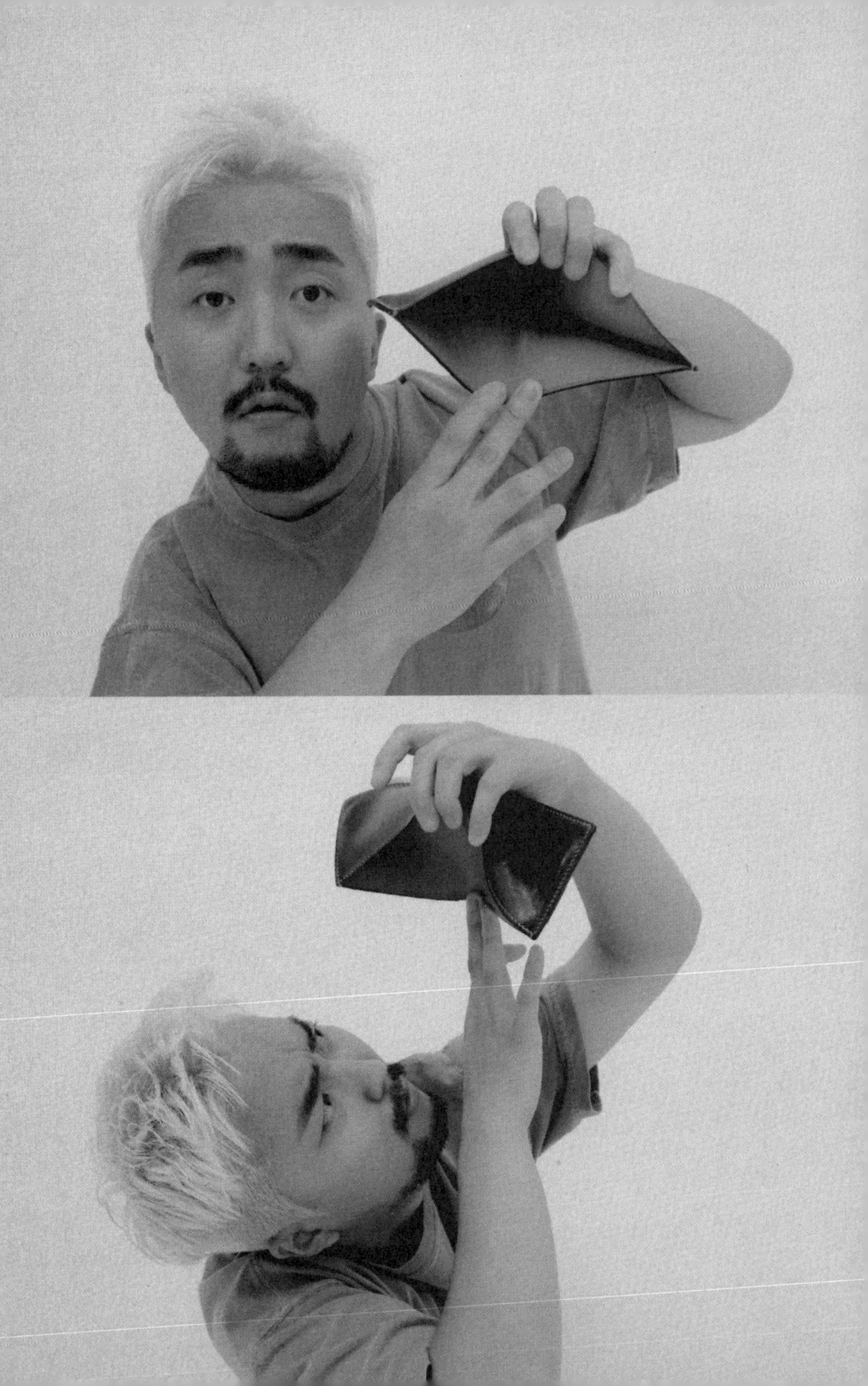

무 엇보다

소 유만이

유 일한 내 삶의 의미.

얼 마나

죽 을 만큼 일해야

아 르마니 살 수 있나.

좋 은 소식과 나쁜 소식이 있어요.

아 버지께 용돈을 드렸습니다!

요 번엔 좋은 소식 알려드릴게요.

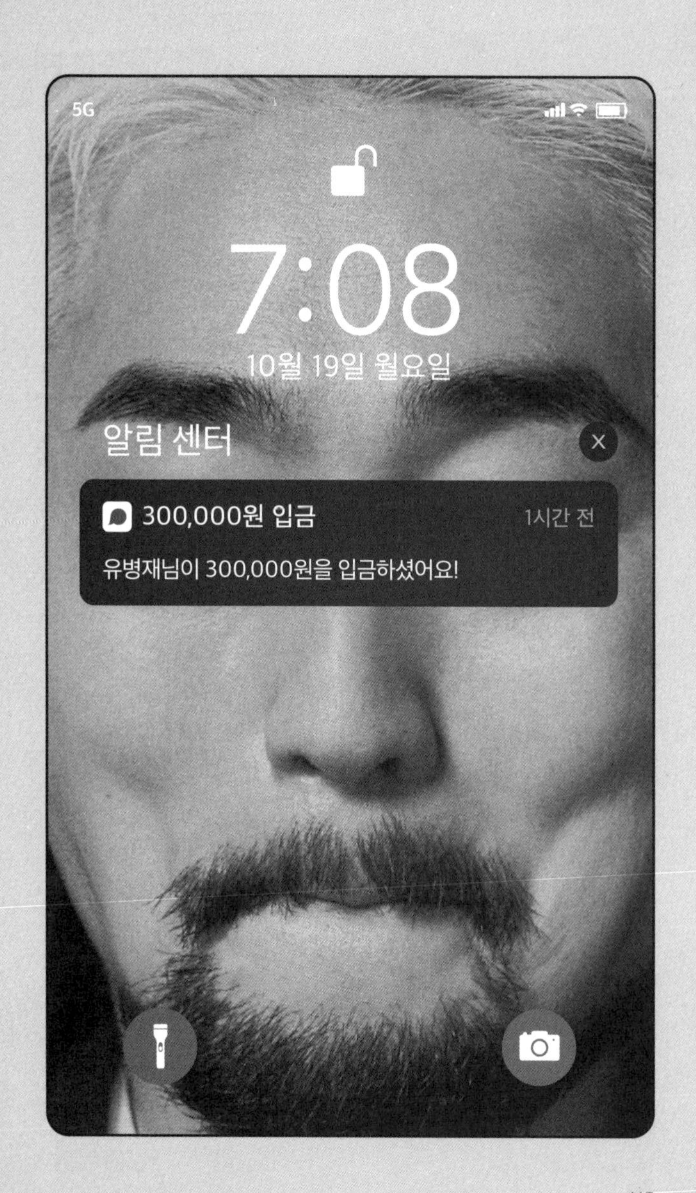
5G
7:08
10월 19일 월요일
알림 센터
300,000원 입금
1시간 전
유병재님이 300,000원을 입금하셨어요!

적 잖이 모았는데

금 방 사라지네.

고 기 사 먹을 돈이 없는

통 장.

가 난은 언제나
나와 만날 준비가 되어 있다.

난 안 됐는데.

중 도금 걱정하는 나는 아직.

산 다면서 장바구니에만 넣는 나는 아직.

층 간소음 때문에
스트레스 받는 나는 아직.

대학입학이

출발점.

이 렇게 빨리

자 라주었구나.

예 나 지금이나

비 가 오나 눈이 오나

군 복만 입으면 늘어지네.

민 폐 아니냐,

방 금 예비군 끝냈는데

위 로 사십 세까지 해야 된다고?

가 슴 찢어지게

끔 찍한 일들도 내 인생에.

역 으로 생각해봐.

할 맛 나겠냐?

편 한건너,

견 디는건나.

차 린게

별 로 없네.

길 에서 만나는

담 쌓은

배 려.

소 설인 걸 알면서

문 제없이 받아들였어?

M ost people

B elieve

T hey perfectly know who they are

I n 12 minutes. LOL

I knew it!! I knew it!!

N ot like you,
we are the only 4% on earth.

F uck you all, you stupid muggles~

P erfect MBTI test result!!

제3교시

2020학년도 10월 고3 모의평가 문제지

영어 영역

성명	성명		수험번호										

모 처럼 기분 좋았는데

의 미 없는 존재가 되어버린 듯해.

평 범한 어른이 되고 싶은 것뿐인데

가 능성에 천장이 씌워졌어.

내 일부터

신 경 쓰자.

적 응도 안 되고

성 격하고도 안 맞고.

글 쎄

쓰 잘데기 없는 거 붙들고 있지 말고

기 술 배우라니까.

새 벽까지 술 처먹으려고

내 가 대학에 왔나.

기 술 배울걸.

과 대평가하시네요.

제 가 할 수 있을 것 같으세요?

전 혀 몰랐어요.

공 부가 노동인 줄.

사 과드립니다.

과 거를 후회합니다.

문 과입니다.

동 기들

대 부분

문 과 나왔어요.

서 럽습니다.

대 체 뭘 잘못한 걸까요.

문 과가 무슨 죄라고.

남 부럽지 않게 살고 싶어서

대 학도 들어갔는데

문 과예요.

북 끄럽네요.

대 가리 박을게요.

문 과라서요.

취 두부에

준 하는

생 지옥.

자그마한 시골 마을, 유복하진

않았지만 화목한 가정에서

자란 저는 어떤 상황에서도

기죽지 않고

자신감 있는 아이였습니다.

소문만복래.
웃으면 복이 온다는 부모님의
가르침 아래 저는 수많은 대외
활동 속에서 그 어떤 난관도
동료들과 웃으며 헤쳐나갔습니다.

개발팀에 지원하게 된 것은
21세기를 이끌어갈 귀사의
모토와 비전에 마음 깊이 공감하고
동참하기 위해서입니다.

서서히 끓어오르지만 그 열이
오래도록 식지 않는 대체불가
뚝배기형 인재, 귀사와 귀한
인연이 되어 뵙게 되기를
간절히 바랍니다.

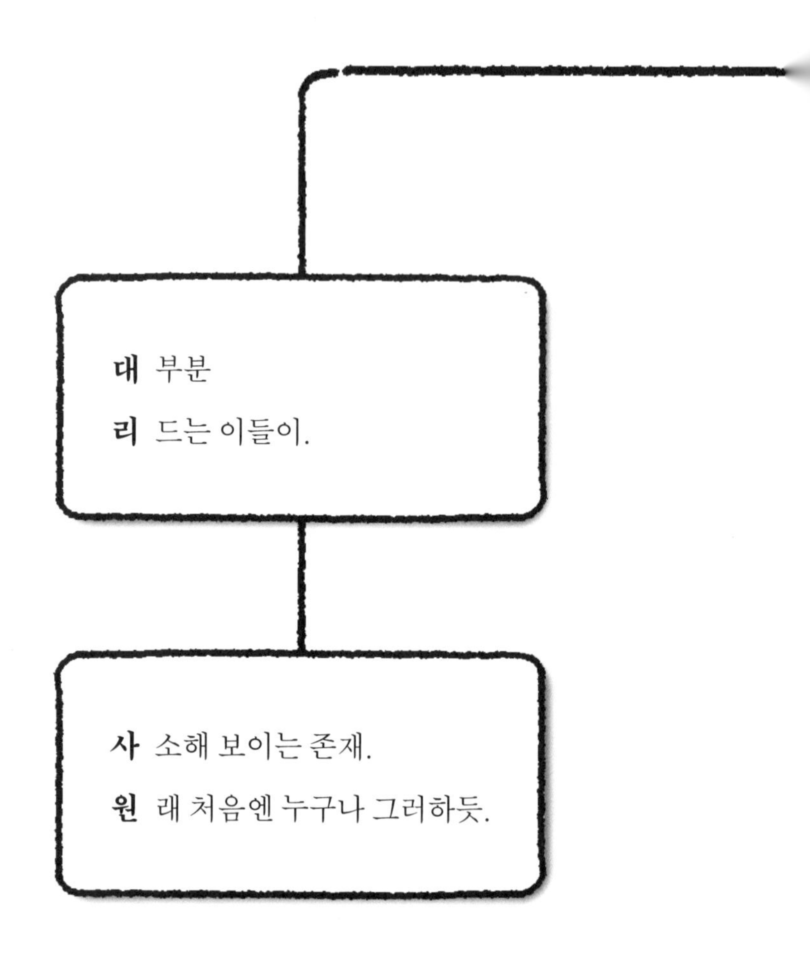
대 부분
리 드는 이들이.
사 소해 보이는 존재.
원 래 처음엔 누구나 그러하듯.

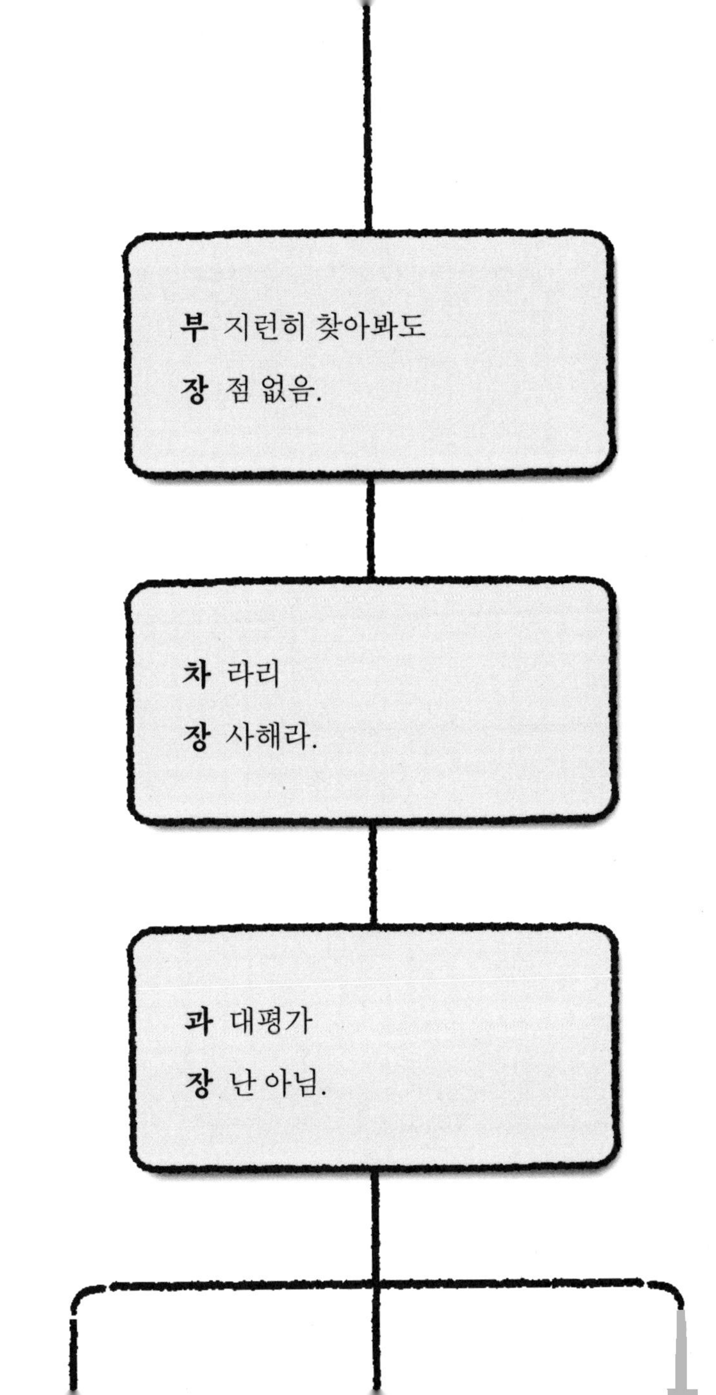

부 지런히 찾아봐도
장 점 없음.
차 라리
장 사해라.
과 대평가
장 난 아님.

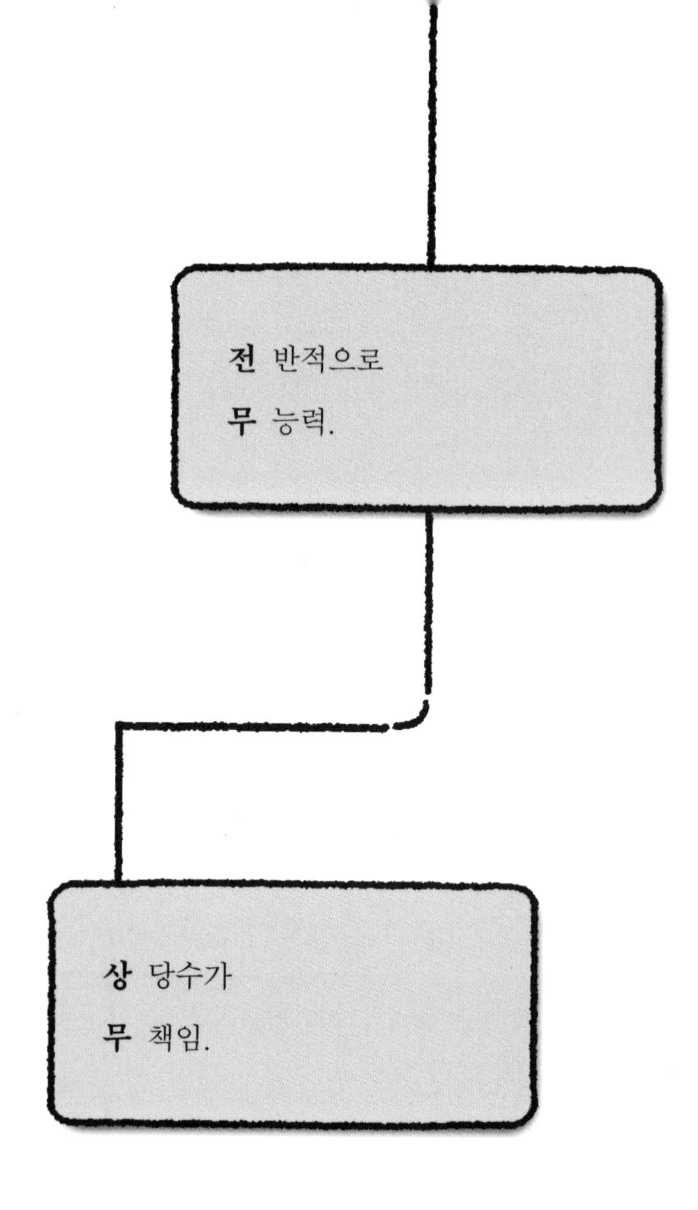
전 반적으로
무 능력.
상 당수가
무 책임.

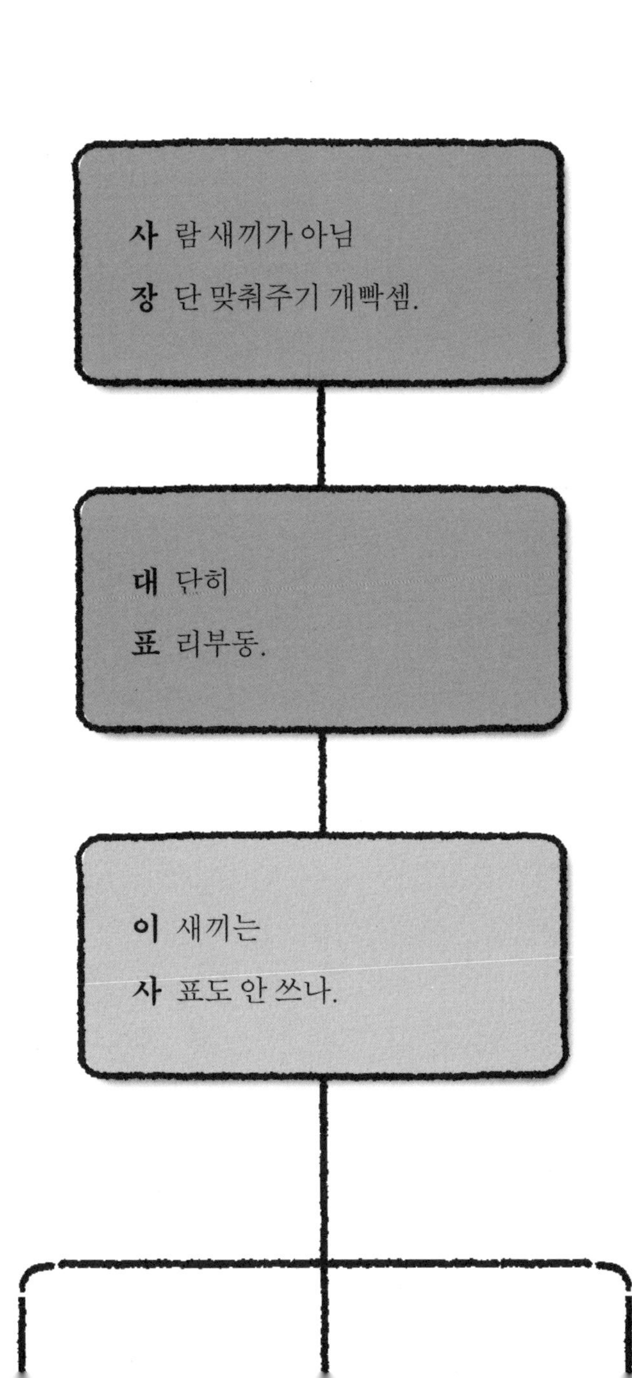
사 람 새끼가 아님
장 단 맞춰주기 개빡셈.
대 닥히
표 리부동.
이 새끼는
사 표도 안 쓰나.

사 장도 싫고

무 시하는 인간들도 싫고

실 어 그냥 다 싫어.

월 급 받잖아.

요 것만 이겨내자.
내일만 견디고 내일 모레까지만 참고
그 다음날 극복하고 하루만 더……

병 가 낼까.

07:20

아 씨발,
침 대 존나 편하네.

08:30

출 발했어요.
근 데 막히는 걸 어떡해요.

13:10

점 점 졸음이
심 하게 몰ㄹㅕㅇㅇㅗ..ㄴ..zzZ..

20:10

퇴 짜 맞은
근 무권리.

22:00

야, 시발 퇴근할 사람 하라며.
근 데 넌 왜 안 가냐.

서 러워서

울 때가 많아요.

과 장님

정 말 열심히 했어요.

결 국

과 장님 몫이군요.

분 명 아까까지 좋았는데

위 사람 오니까

기 가 막히게 구려지는 거.

월 래

급 하게 없어짐.

5G

7:08

10월 19일 월요일

알림 센터

메시지 4분 전

[Web발신] 유*재님 08/19 11:20 한도초과 승인거절.
만나요편의점 7,400원 승인거절되었습니다.

은행알림 어제 오후 9:43

[출금] 택시 19,500원
1002-600-***계좌 잔액 4,800원 08/18 21:43:20

은행알림 어제 오후 4:50

[출금] 호섭이치킨 19,000원
1002-600-***계좌 잔액 80,600원 08/18 16:50:20

메시지 어제 오후 3:20

[출금] 버거키잉13,200원

퇴 !(침 뱉는다.)

사 (사장에게)

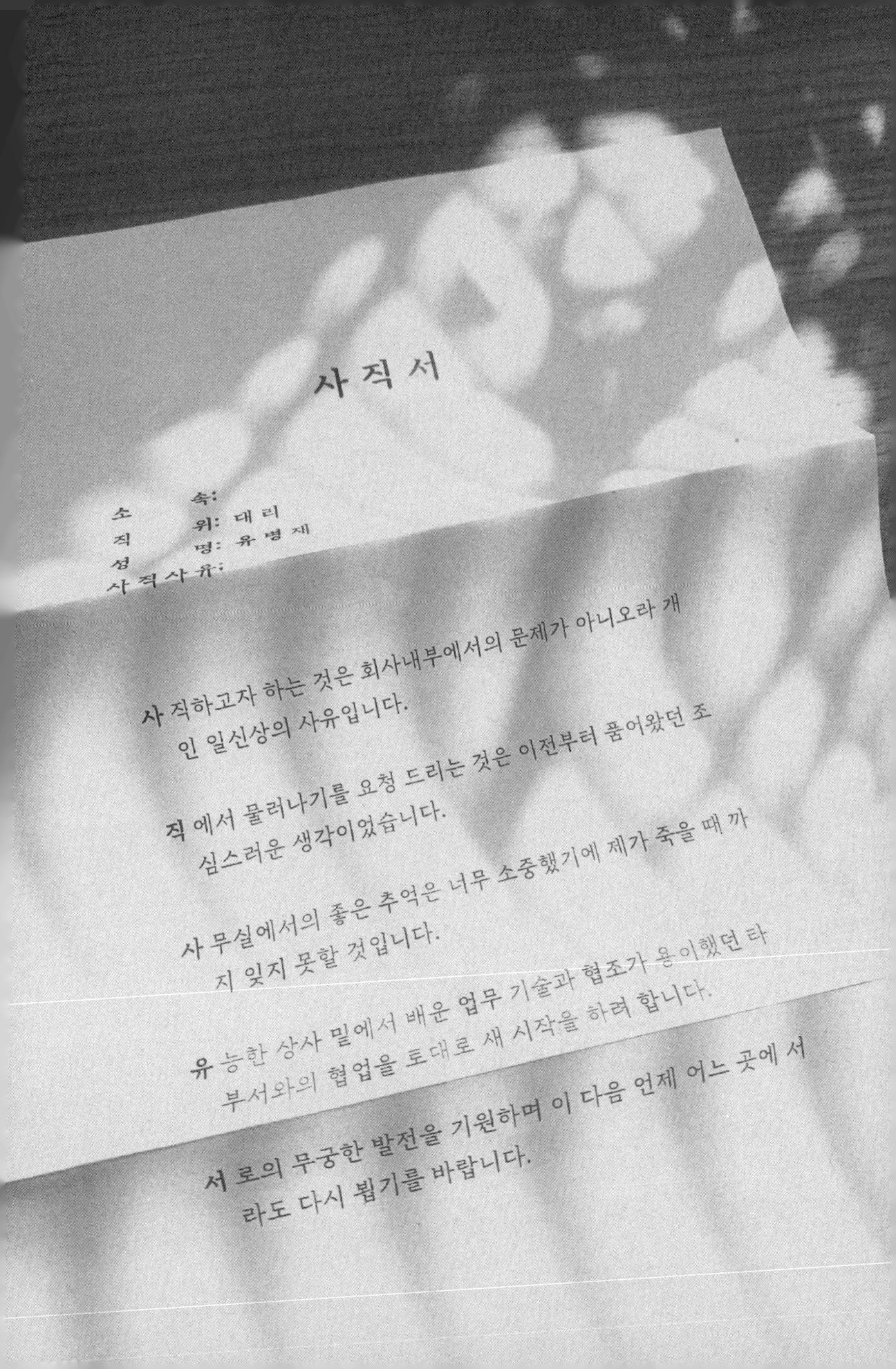

사직서

소　　속:
직　　위: 대리
성　　명: 유병재
사직사유:

사 직하고자 하는 것은 회사내부에서의 문제가 아니오라 개
인 일신상의 사유입니다.

직 에서 물러나기를 요청 드리는 것은 이전부터 품어왔던 조
심스러운 생각이었습니다.

사 무실에서의 좋은 추억은 너무 소중했기에 제가 죽을 때 까
지 잊지 못할 것입니다.

유 능한 상사 밑에서 배운 업무 기술과 협조가 용이했던 타
부서와의 협업을 토대로 새 시작을 하려 합니다.

서 로의 무궁한 발전을 기원하며 이 다음 언제 어느 곳에 서
라도 다시 뵙기를 바랍니다.

매운맛

사 업 자 등 록 증

(일반과세자)

등록번호 :

개 새끼들 똥 닦아 주는 게 싫어서.

인 간으로 살고 싶어서.

사 랑하며 행복하게 살고 싶어서.

업 신여김 이제는 지긋지긋해서.

자 존심은 상해도 자존감은 지키고 싶어서.

자 리 지키고 앉아 있을걸.

영 나하곤 안 맞네.

업 보다, 이놈의 팔자.

직 장생활 이렇게 힘들 줄 알았으면

장 사했지.

장 사 이렇게 힘들 줄 알았으면

사 표 안 썼지.

충 분히 알아들었으니까

고 만해라.

조 까

언 제 봤다고.

침 착하게

대 충 닦고 빨리 와.

캥 기는 거 없다면서

거 기 문은

루 즈 자국은 뭔데.

어 떤 핏줄이길래

머 리가 돌이니?

니 애비 닮아서 그렇지.

아 들이라고 하나 있는 게

버 르장머리 하곤.

지 애미 닮아가지고.

불 효자가 볼 때

쌍 방과실이요.

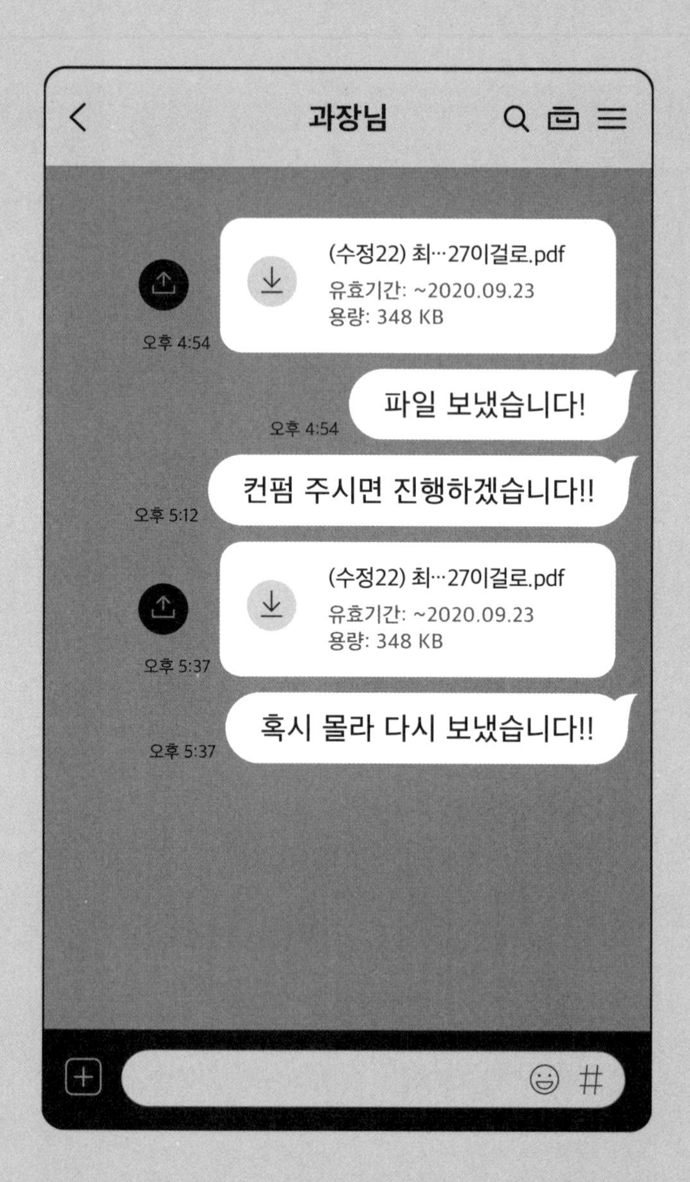
과장님
(수정22) 최…27이걸로.pdf
유효기간: ~2020.09.23
용량: 348 KB
오후 4:54
파일 보냈습니다!
오후 4:54
컨펌 주시면 진행하겠습니다!!
오후 5:12
(수정22) 최…27이걸로.pdf
유효기간: ~2020.09.23
용량: 348 KB
오후 5:37
혹시 몰라 다시 보냈습니다!!
오후 5:37

읽 었잖아,

씹 새꺄.

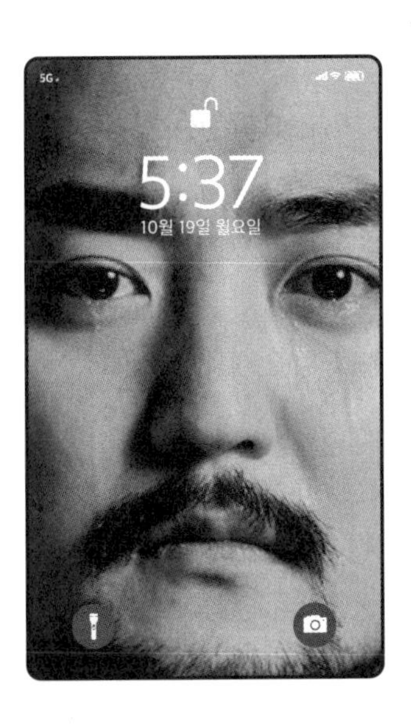

M an I told you fool.

A re you fuckin idiot?

S hould be wearing a mask.
not only for u but for all of us.

K now what I mean?

성 실하게 일하긴 싫어요.

공 부는 귀찮고요.

재 벌 되고 싶나?

테 마주가 답이다.

크 게 넣어!

(따라하지 마세요.)

상 당히 오랜 시간

한 번도 오른 적 없는데

가 지고 있으라고요?

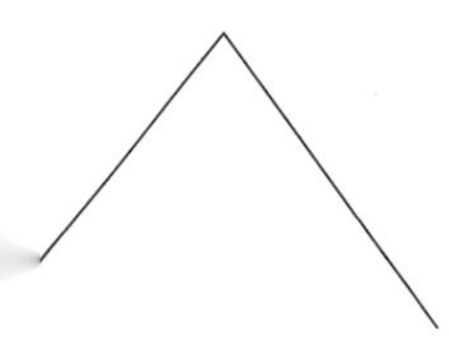

하 염없이 기다렸어요.

한 번 치고 오르면

가 능할까요?

선 생님 전화 좀 받아주세요.

물 린 것 같은데 뺄까요?

펀 드로 망하는 경우는

드 물다면서요.

채 무자들이 집 앞에 왔어요.

권 유한 건 선생님이잖아요.

코 빼기도 안 보이시네요.

스 무 배는 키워준다고 하셨잖아요.

피 한다고 되는 문제가 아니에요.

평 당3천 이상

범 위에 들어가야 비로소.

고 위험.

수 익 낮음.

익 절 못함.

건 강하시죠?

물 가가 많이 올랐네요.

주 머니 사정이 여의치 않아서요,
조금만 더 기다려주세요.

졸라

부러워.

조 까튼 새끼들

별 의별 것들 다 있네.

과 장 없이 말해서

제 대로 된 새끼 하나 없네.

엄 마가 하지 말랬잖아 아빠.

친 자확인을 왜 해.

아 저씨 진짜 왜 그래요.

실 감나는

검 사 판사 놀이.

뉴스 쇼핑 연예 스포츠 푸드 웹툰·뿜

실시간 급상승 | 뉴스토픽

1~10위 | 11~20위

1

2

3

4

5

6

7

AA**** ⓘ
2020. 09.03. 11:59:40 · 신고
○○○ 죽어라~ 👍 1297 👎 29

sj*** ⓘ
2020. 09.03. 11:58:15 · 신고
XX 불편하네요.. 👍 705 👎 13

matt**** ⓘ
2020. 09.03. 11:57:32 · 신고
대체 재는 왜 자꾸 나오는 거야? 👍 553 👎 15

인 간적으로

건 드리지 말자.

비 열한 새끼들.

알 고 보니 사장님은

바 위로 계란 치기.

오 늘만 그런 거 아니잖아.

징 그럽게 생긴 거.

어 제도 그랬잖아.

꼴 에 메이크업 해봤자

뚜 렷하게 못생겼어.

기 대하지 마.

후 지게 산 건

회 복이 안 된다.

친 한 적 있었지.

구 소련이랑 미국도.

미	친
시	발
오	지게 말 안 듣네.
PUSH	

당 기 시 오 PULL	연한 거 아냐? 본이잖아. 치미 떼지 말고. 는 사람이 밀면 가는 사람은 당겨야지.

주 로

머 니만 없음.

니 기미.

시 발.

간 다고 말 좀 해주지.

자 기 스스로

존 나

심 하게 괴롭힘.

자 랑스러운

존 재의 존나 존엄한 가치.

감 히 누가 건드려?

역 겨운 과거는

사 과해라.

일 부는

본 성부터 쓰레기.

취 두부를 먹든

향 수에 밥을 말아먹든

존 나

중 요한 거.

평 소엔 아무거나 잘 처먹으면서

양 아치도 아니고

냉 면 하나 가지고

면 박을 주나.

설 거지

날 잡고 하는 날.

세 상 믿을 사람 없다더니

뱃 째라 이겁니까?

돈 맡아준다면서요, 이십 년 전에……

추 한 모습 보여주며

석 죽는 날.

가 까워도

족 같을 땐 있지.

시 발놈 주는 거 없이

기 분 나쁘네.

질 낮은

투 정.

체 면 좀 생각해주라.

크 든 작든 내가 쓰기로 했는데

카 운터에서
잔액 부족이 무슨 쪽이야.

드 럽고 치사해서 정말.

신 상 나온 거 싹 담아!

용 서가 허락보다 쉬우니까
일단 담아!

카 트 가득 담ㅇ…… 한도 초과?

드 럽고 치사해서 정말.

미 친

니 미 내가 가진 게 없는데

멀 더 버리라고.

Epilogue

작가의 말

작 은 바람,

가 능한 한 단 한 사람에게 단 한 줄이라도

의 미 있는 글이 되었다면

말 할 수 없이 행복할 거예요.

말 미가 조금 있었으면
더 괜찮은 글이 나왔을까 싶기도 하지만
장 고 끝에 악수 나온다고
담담한 마음으로 마지막 원고를 보냅니다.
난 잡한 글들을 헤치고
이 페이지까지 와주신 당신에게 압도적 감사를 드립니다.

말 리는 사람이 없어서 그랬을까요.
장 난 반 진심 반으로 시작했던 일이
돌이킬 수 없게 되었어요.
난 아침에 한 말 저녁에 후회하는 사람인데
어쩌자고 이걸 글로 남기고 있네요.

말 초적인 글들만 남은 건 아닌가 하는 걱정이 듭니다.
장 담컨대 전 언젠가 이 책에 쓴 글과는
다른 사람이 되어 있을 거예요.
책을 빼곡히 채운 자극적인 단어에 한없이 부끄럽지만
난 감해할 미래의 저에게 넌 그저 누군가의
감정 대리인일 뿐이라는 면죄부를 줘봅니다.

말 썽을 일으킬 글들은 지워냈고

장 사치의 요행은 삼갔으며

난 해한 단어들은 쓰지 않으려 노력했습니다.

말 이 또 길어지네요.

장 구 치고 북 치고 하다 보니

이 책을 왜 썼는지 흐릿하게 보이는 것 같습니다.

난 간 끝에 아슬아슬 매달려 있을 분들에게

난간의 다른 쪽 끝에서 이 책을 보냅니다.

단 한 분에게라도 어설픈 위로보단

단순한 응원으로 남았으면 합니다.

유병재 삼행시집

말장난

1판 1쇄 발행 2020년 10월 30일
2판 1쇄 발행 2022년 11월 1일

지은이 유병재
펴낸이 김영곤
펴낸곳 (주)북이십일 아르테

인문기획팀장 양으녕 **인문기획팀** 이지연 최유진
본문 일러스트 실키silkidoodle
사진 최문혁 스튜디오
표지 이미지 모티브 김유정
출판영업마케팅본부장 민안기
마케팅1팀 배상현 김신우 한경화 이보라
출판영업팀 최명열 **e-커머스팀** 장철용 김다운
제작팀 이영민 권경민

출판등록 2000년 5월 6일 제406-2003-061호
주소 (10881)경기도 파주시 회동길 201(문발동)
대표전화 031-955-2100 **팩스** 031-955-2151

ISBN 978-89-509-9210-1 03810

(주)북이십일 경계를 허무는 콘텐츠 리더

21세기북스 채널에서 도서 정보와 다양한 영상자료, 이벤트를 만나세요!

페이스북 facebook.com/21arte
인스타그램 instagram.com/21_arte
홈페이지 arte.book21.com
포스트 post.naver.com/staubin